彼 得 兔 和 他 的 朋 友 们

小猪布兰德的故事

[英] 毕翠克丝·波特/著 孙静/译

西南师范大学出版社

图书在版编目（CIP）数据

小猪布兰德的故事 /（英）毕翠克丝·波特著；孙
静译. -- 重庆：西南师范大学出版社，2016.8
（彼得兔和他的朋友们）
ISBN 978-7-5621-8088-3

Ⅰ．①小… Ⅱ．①毕… ②孙… Ⅲ．①儿童文学—图
画故事—英国—现代 Ⅳ．①I561.85

中国版本图书馆 CIP 数据核字（2016）第 163979 号

小猪布兰德的故事   [英]毕翠克丝·波特/著   孙静/译
xiaozhu bulande de gushi

责任编辑： 胡秀英
装帧设计： 甘　霖
出版发行： 西南师范大学出版社
地址：重庆市北碚区天生路 2 号
邮编：400715
网址：www.xscbs.com
经　销： 全国新华书店
印　刷： 湖北楚天传媒印务有限责任公司
开　本： 710 mm×1000mm　　1/16
印　张： 2.75
字　数： 22 千字
版　次： 2016 年 8 月第 1 版
印　次： 2017 年 3 月第 2 次印刷
书　号： ISBN 978-7-5621-8088-3

定　价： 12.00 元

☆☆☆

序　言

　　"彼得兔"系列故事的作者是英国女性作家暨插画家毕翠克丝·波特（Helen Beatrix Potter）。故事诞生于波特写给她家庭教师五岁儿子的信。这位家庭老师的儿子卧病在床，波特为了安慰他，在信中讲了这个故事，并且在故事当中鼓励他。

　　波特姐弟小的时候收养了许多小动物，有兔子、蜥蜴、青蛙、蛇、睡鼠、狗、刺猬等，每个动物都有一个名字。波特以她特有的绘画天赋和对艺术的敏感，用好玩的故事和生动可爱的图画记录了动物们在成长中发生的故事，这些小动物后来就成了"彼得兔"系列故事中的各种角色，并最终成就了"彼得兔"系列故事的辉煌。

　　本丛书内容从孩子的角度出发，文字流畅清新且富于童趣，读起来朗朗上口，有助于培养孩子对故事阅读的兴趣，以及增强孩子对故事的理解和记忆能力，让孩子在故事中享受童年的快乐！

CONTENTS

目 录

小猪布兰德的故事 …………………………… 1

渔夫杰里米的故事 ………………… 24

小猪布兰德的故事

猪妈妈有八个孩子。其中，四个女儿分别叫珂罗丝、莎珂、笑笑、丝波特，四个儿子分别叫亚历山大、布兰德、晨晨、斯达比。

一天，亚历山大被卡在了铁环里；笑笑浑身脏兮兮地钻进了放着干净衣服的篮子里；珂罗丝和莎珂正在菜园里捣乱，她们把萝卜都拔了出来。

chú le sī bō tè hé
除了丝波特和
bù lán dé zhū mā ma de hái
布兰德，猪妈妈的孩
zi men dōu hěn tiáo pí zhū
子们都很调皮。猪
mā ma tàn le kǒu qì shuō
妈妈叹了口气，说：

jiā li de hái zi tài duō le liáng shi dōu bú gòu chī le chú le sī bō
"家里的孩子太多了，粮食都不够吃了。除了丝波
tè kě yǐ bāng máng zuò zuo jiā wù qí tā hái zi hái shi sòng zǒu ba
特可以帮忙做做家务，其他孩子还是送走吧。"

2

chén chen　shā kē　sī
晨晨、莎珂、斯

dá bǐ　xiào xiao hé kē luó sī
达比、笑笑和珂罗丝

dōu zǒu le　　bù lán dé hé yà lì shān dà yě
都走了，布兰德和亚历山大也

zhǔn bèi qù shì chǎng
准备去市场。

zhū mā ma wèi tā men zhěng lǐ hǎo yī fu　　yòng shǒu juàn cā le cā yǎn
猪妈妈为他们整理好衣服，用手绢擦了擦眼

lèi　bù tíng de zhǔ fù tā men lù shang xiǎo xīn
泪，不停地嘱咐他们路上小心。

3

“你们一定要注意路标。记住，过了边界就不能回来了。拿好这两张执照，有了它们，才能去市场。”猪妈妈边说边将准备好的包裹递给他们。

tā men liǎ chū fā le
他们俩出发了。

méi zǒu duō yuǎn yà lì shān dà jiù
没走多远，亚历山大就

jiāng zì jǐ de fàn hé bò he táng
将自己的饭和薄荷糖

chī wán le zhī hòu wèi le néng
吃完了。之后，为了能

chī dào bù lán dé de bò he táng yà lì shān dà hé bù lán dé dà dǎ chū
吃到布兰德的薄荷糖，亚历山大和布兰德大打出

shǒu hái bù xiǎo xīn jiāng liǎng zhāng zhí zhào hùn zài le yì qǐ
手，还不小心将两张执照混在了一起。

不过，很快他们就和好了，并继续向前奔跑。

在一个拐角处，他们碰到了警察检查执照，可亚

历山大却拿不出执照来，于是警察决定将他送回

农场。

6

布兰德只好独自前往市场。其实,市场并不是他想去的地方。"我希望能够拥有自己的菜园。"布兰德说。这时,他却在口袋里摸到了两张执照。不用猜,那一张是亚历山大的。

布兰德飞快地往回跑，想要追上警察和亚历山大，结果却迷路了。布兰德在森林里迎来了黑夜。他边哭边漫无目的地走着。

一个小时后，布兰德发现不远处有一座小木屋，便飞快地跑了过去。

"看来，这是一间鸡舍。"布兰德喃喃地说。于是，他决定在这儿住一晚再走。布兰德很快就进入了梦乡。可没过多久，鸡的主人——派伯逊先生就提着灯，拎着一个大篮筐走进了鸡舍。他要抓六只鸡，明天一早送到市场去。

9

派伯逊先生发现布兰德之后，就将他和五只母鸡一起抓进了大篮筐里。来到厨房，派伯逊先生抓出布兰德，将他的口袋搜了一遍。他不知道，布兰德早就将薄荷糖和执照藏在贴身的衣服里了。

派伯逊先生什么也没搜到。之后，他煮了一锅麦片粥，倒在三个盘子里。一盘给了布兰德，一盘留给他自己，最后一盘锁在了橱柜里。

第二天，派伯逊先生带着他的母鸡们一同去了市场。临走前，他嘱咐布兰德守好家门，否则就让他好看。布兰德慢慢悠悠地吃完早餐，将农舍逛了一遍，发现到处都上着锁。

布兰德决定将早餐的盘子洗一洗。他边洗盘子边唱歌。突然，有一个声音跟着他断断续续地唱着，听起来有些沉闷。

布兰德放下

盘子，来到了厨

房里的碗柜前。碗柜是锁着的，他在锁孔处听了

听，里面没有一点声音。于是，布兰德将他的薄荷

糖都放到了碗柜的门缝下。可是，薄荷糖被拿走了。

就在布兰德充满疑惑的时候，派伯逊先生回家了。他十分疲惫，迅速煮好麦片粥，吃完后就回房了。还在吃麦片粥的布兰德却听到了一个声音："你能将麦片粥分给我一些吗？"

bù lán dé fā xiàn zì jǐ shēn páng zhèng zhàn zhe yì zhī kě ài de hēi
布兰德发现自己身旁正站着一只可爱的黑

sè xiǎo zhū tā shuō zì jǐ de míng zi jiào wēi jī yú shì bù lán dé jiāng
色小猪，她说自己的名字叫薇姬。于是，布兰德将

zì jǐ de pán zi dì gěi le wēi jī
自己的盘子递给了薇姬。

nǐ shì zěn me lái zhè er de bù lán dé wèn
"你是怎么来这儿的？"布兰德问。

wǒ shì bèi tōu lái de wēi jī biān chī biān huí dá
"我是被偷来的。"薇姬边吃边回答。

16

bù lán dé yòu wèn　　tā tōu nǐ
布兰德又问："他偷你

lái zuò shén me a
来做什么啊？"

zuò xūn ròu hé huǒ tuǐ a
"做熏肉和火腿啊！"

wēi jī shuō
薇姬说。

zhè zhēn shì jiàn kǒng bù de shì qing
这真是件恐怖的事情。

bù lán dé hé wēi jī yuē dìng dì èr tiān zǎo shang yì qǐ qù shì chǎng
布兰德和薇姬约定第二天早上一起去市场。

薇姬很兴奋，她问了许多有关布兰德的问题之后，渐渐地睡着了。布兰德轻轻地走了过去，将椅罩盖在她的身上。

天边刚有一丝亮光时，布兰德就叫醒了薇姬，他们一起出了门。之后，两只小猪手牵着手，一同穿过田野，走到了大路上。

太阳升起来了，美丽的景色拨开面纱，显露了出来。"那里就是威斯特摩兰郡。"薇姬说。她放开了布兰德的手，高兴得又唱又跳。布兰德提醒她，要赶在人们起床前到达大桥那里。

méi zǒu duō jiǔ　　yí wèi gǎn chē de shāng rén kàn dào tā men　tíng xià le
没走多久，一位赶车的商人看到他们，停下了

chē　wèn　　　nǐ men shì qù shì chǎng ma　　liǎng zhī xiǎo zhū diǎn le diǎn tóu
车，问："你们是去市场吗？"两只小猪点了点头，

shāng rén yāo qiú kàn kan tā men de　zhí zhào
商人要求看看他们的执照。

布兰德将两张执照递了过去。可是，商人并不相信布兰德或亚历山大就是眼前的这只黑色小猪的名字。商人看了看薇姬，又想起了报纸上写着"……走失或被偷走了。如果有人找回，付酬金十先令"，便产生了一个念头。

shāng rén gēn bù yuǎn chù gēng tián de nóng fū dǎ le shēng zhāo hu biàn duì
商人跟不远处耕田的农夫打了声招呼,便对

liǎng zhī xiǎo zhū shuō nǐ men děng wǒ yí huì er wǒ zhǐ qù shuō jǐ jù huà
两只小猪说:"你们等我一会儿,我只去说几句话。"

rán hòu shāng rén jiù jià zhe chē cháo nóng fū nà biān zǒu qù
然后,商人就驾着车朝农夫那边走去。

布兰德觉得情况不妙，
于是等到马车走远后，拉着
薇姬飞快地向山下跑去。

跑啊跑，两只小猪穿过河床和草地，终于跑
到了小河的另一边，又手牵着手一起走过了大桥。

他们翻过一座又一座大山，高高兴兴地朝前方走去。

渔夫杰里米的故事

从前，有一只大青蛙，大伙儿都叫他渔夫杰里米。他将房子建在池塘边，四周被毛茛花包围着。他的小房子里总是湿漉漉的，储藏室里和走廊上都是水汪汪的。

渔夫杰里米先生很喜欢将他的双脚泡在水中。当然，他不会因此而受到责骂，也不会因为这样而感冒！

当他望向窗外时，只见豆大的雨点从天而降，滴答滴答地落在池塘里。这对他来说，是多么高兴的一件事啊！

"我要去捉一些小虫子，然后去钓鱼。"渔夫杰里米先生说，"如果我钓到五六条鱼，我就请我的朋友乌龟先生和牛顿爵士一同进餐。"

渔夫杰里米先生穿上雨衣和一双橡胶套鞋，拿上他的钓竿和篮子，蹦蹦跳跳地来到了他停放小船的地方。

26

这只绿色的船圆圆的，看上去就像池塘里的荷叶。小船拴在池塘中间的一棵水草上。

渔夫杰里米先生用芦苇当作船篙，用力一撑，小船就划进了一片开阔的水域。他知道不远处有一个钓鱼的好地方。

渔夫杰里米先生将小船停靠在旁边，拴好。

然后，他盘着腿坐下，认真地整理着渔具。他的小

红鱼漂真是可爱极了，坚韧的草秆做成钓竿，那

细长的白色马尾毛做成的渔线末端系着蚯蚓。

yǔ diǎn qīng qīng de
雨点轻轻地

sǎ luò zài tā de hòu bèi
洒落在他的后背

shang shí jiān yì fēn yì
上。时间一分一

miǎo de guò qù le tā
秒地过去了，他

yī rán yí dòng yě bù dòng de zhù shì zhe yú piāo
依然一动也不动地注视着鱼漂。

diào yú zhēn de hěn wú liáo a wǒ xiǎng wǒ yào xiān chī diǎn wǔ cān
"钓鱼真的很无聊啊！我想我要先吃点午餐

cái hǎo yú fū jié lǐ mǐ xiān sheng shuō
才好。"渔夫杰里米先生说。

他把小船又撑回到水草丛中，然后从篮子里将他的午餐拿了出来。"我可以吃点蝴蝶三明治，等大雨停下来。"渔夫杰里米先生说。

zhè shí　yì zhī jù
这时，一只巨

dà de shuǐ jiǎ chóng qiāo qiāo
大的水甲虫悄悄

de lái dào hé yè xia　tā
地来到荷叶下，他

shǐ jìn de jiā le yí xià
使劲地夹了一下

jié lǐ mǐ xiān sheng de　yì　zhī xiàng jiāo tào xié de xié jiān　yú fū jié lǐ mǐ
杰里米先生的一只橡胶套鞋的鞋尖。渔夫杰里米

xiān sheng jiāng tā de tuǐ shōu le shàng qù　rán hòu　tā jì xù chī sān míng zhì
先生将他的腿收了上去，然后，他继续吃三明治。

shuǐ jiǎ chóng zài yě zhuā bù dào jié lǐ mǐ xiān shēng de xié zi le
水甲虫再也抓不到杰里米先生的鞋子了。

池塘边的草丛似乎在晃动着，时不时地发出"沙沙"声，偶尔还有水花溅起。"那肯定不是一只水耗子弄出的动静。"渔夫杰里米先生说，"我想，还是离开这里的好。"

tā bǎ xiǎo chuán chēng chū le shuǐ
他把小船 撑出了水

cǎo cóng pāo xià le yú ěr bù yí
草丛，抛下了鱼饵。不一

huì er jiù yǒu yú er shàng gōu le
会儿，就有鱼儿上钩了！

ó shì yín yú shì yín yú
"哦，是银鱼！是银鱼！"

yú fū jié lǐ mǐ xiān sheng yì biān xīng fèn
渔夫杰里米先生一边兴奋

de jiào zhe yì biān tí qǐ le diào gān
地叫着，一边提起了钓竿。

kě shì zhè bìng bú shì yí gè
可是，这并不是一个

jīng xǐ yú fū jié lǐ mǐ xiān sheng diào
惊喜！渔夫杰里米先生钓

dào de bìng bú shì xiǎng xiàng zhōng de xiǎo
到的并不是想象中的小

yín yú ér shì yì tiáo hún shēn zhǎng mǎn
银鱼，而是一条浑身长满

lì cì de jí yú
利刺的棘鱼！

33

jí yú zài xiǎo chuán shang bù
棘鱼在小船上不

tíng de pū teng　 yòu zhā yòu yǎo
停地扑腾，又扎又咬，

zhí dào hū xī biàn de kùn nan le
直到呼吸变得困难了，

cái yòu tiào huí dào shuǐ li
才又跳回到水里。

zhè shí　 yì qún xiǎo yú cóng shuǐ
这时，一群小鱼从水

zhōng tàn chū tóu lái　 bù tíng de cháo xiào
中探出头来，不停地嘲笑

zhe yú fū jié lǐ mǐ xiān sheng
着渔夫杰里米先生。

渔夫杰里米先生感到十分沮丧。他坐在小船边,一边凝视着水面,一边吸着被刺到的手指。这时,更为可怕的事情发生了!

随着"哗啦——噗噗"声响起,一条硕大无比的鲑鱼跳出水面,一口咬住了渔夫杰里米先生的雨衣。"啊——"他的惊叫声还未传出,大鲑鱼就把他吞入口中,潜入池底了!

鲑鱼极为讨厌橡胶
雨衣的气味，于是，没到
半分钟，他就把渔夫杰
里米先生吐了出来。但是渔夫杰里米先生的橡胶
套鞋被大鲑鱼吞了下去。

渔夫杰里米先生纵身跃出水面，就好像从汽
水瓶子里一个劲
往上蹿的气泡。
之后，他用尽全
身力气向池塘岸
边游去。

当他游到最近

的堤岸边时，他立刻

爬了上去，然后披着

那件差点变成碎布

条的雨衣跳过草地，回家去了。

"真幸运，我遇到的不是梭子鱼！"渔夫杰里米先生感叹道，"我弄丢了我的钓竿和篮子，不过那并不重要，因为我肯定我这一辈子再也不会跑去钓鱼了！"

渔夫杰里米先生的朋友们已经准时来赴宴了。可是，他没有鱼来款待他们，好在他的食品库里还有一些东西。

<ruby>牛<rt>niú</rt></ruby><ruby>顿<rt>dùn</rt></ruby><ruby>爵<rt>jué</rt></ruby><ruby>士<rt>shì</rt></ruby><ruby>穿<rt>chuān</rt></ruby><ruby>着<rt>zhe</rt></ruby><ruby>一<rt>yí</rt></ruby><ruby>件<rt>jiàn</rt></ruby><ruby>金<rt>jīn</rt></ruby><ruby>色<rt>sè</rt></ruby><ruby>背<rt>bèi</rt></ruby><ruby>心<rt>xīn</rt></ruby>，<ruby>上<rt>shàng</rt></ruby><ruby>面<rt>miàn</rt></ruby><ruby>有<rt>yǒu</rt></ruby><ruby>黑<rt>hēi</rt></ruby><ruby>色<rt>sè</rt></ruby><ruby>的<rt>de</rt></ruby>

<ruby>花<rt>huā</rt></ruby><ruby>纹<rt>wén</rt></ruby>。<ruby>乌<rt>wū</rt></ruby><ruby>龟<rt>guī</rt></ruby><ruby>先<rt>xiān</rt></ruby><ruby>生<rt>sheng</rt></ruby><ruby>提<rt>tí</rt></ruby><ruby>着<rt>zhe</rt></ruby><ruby>一<rt>yì</rt></ruby><ruby>包<rt>bāo</rt></ruby><ruby>生<rt>shēng</rt></ruby><ruby>菜<rt>cài</rt></ruby>。

虽然他们没有美味的银鱼当晚餐,不过,用瓢

虫酱烤的蚱蜢,味道应该也不错。青蛙觉得这顿

晚宴是非常丰盛的。不过,我认为那晚餐一定会

让人难以下咽!